U0065287

故事音檔下載
國語版　臺語版

繪本 0146

來跳舞吧！

文．圖｜高畠純
選書翻譯｜林真美
責任編輯｜余佩雯
美術設計｜林家蓁
天下雜誌群創辦人｜殷允芃　董事長兼執行長｜何琦瑜
兒童產品事業群
副總經理｜林彥傑　總編輯｜林欣靜
主編｜陳毓書　版權專員｜何晨瑋、黃微真

出版者｜親子天下股份有限公司
地址｜台北市104建國北路一段96號4樓
電話｜（02）2509-2800　傳真｜（02）2509-2462
網址｜www.parenting.com.tw
讀者服務專線｜（02）2662-0332　週一～週五：09:00~17:30
讀者服務傳真｜（02）2662-6048　客服信箱｜bill@cw.com.tw
法律顧問｜台英國際商務法律事務所・羅明通律師
總經銷｜大和圖書有限公司　電話／（02）8990-2588
出版日期｜2015年2月第二版第一次印行
2022年5月第二版第四次印行
定價｜260元
書號｜BCKP0146P
ISBN｜978-986-241-077-6

來跳舞吧！

文·圖 高畠純　選書翻譯 林真美

跳舞囉　豬要跳舞囉

咩嘍咩嘍　呼啦呼啦

咩嘍咩嘍　呼啦呼啦

馬要跳舞囉

咩嘍咩嘍　呼啦呼啦

咩嘍咩嘍　呼啦呼啦

狗ㄍㄡˇ要ㄧㄠˋ跳ㄊㄧㄠˋ舞ㄨˇ囉ㄌㄨㄛ

咩(ㄇㄧㄝ)嘍(ㄌㄡ)咩(ㄇㄧㄝ)嘍(ㄌㄡ)　呼(ㄏㄨ)啦(ㄌㄚ)呼(ㄏㄨ)啦(ㄌㄚ)

咩(ㄇㄧㄝ)嘍(ㄌㄡ)咩(ㄇㄧㄝ)嘍(ㄌㄡ)　呼(ㄏㄨ)啦(ㄌㄚ)呼(ㄏㄨ)啦(ㄌㄚ)

河馬和大象要跳舞囉

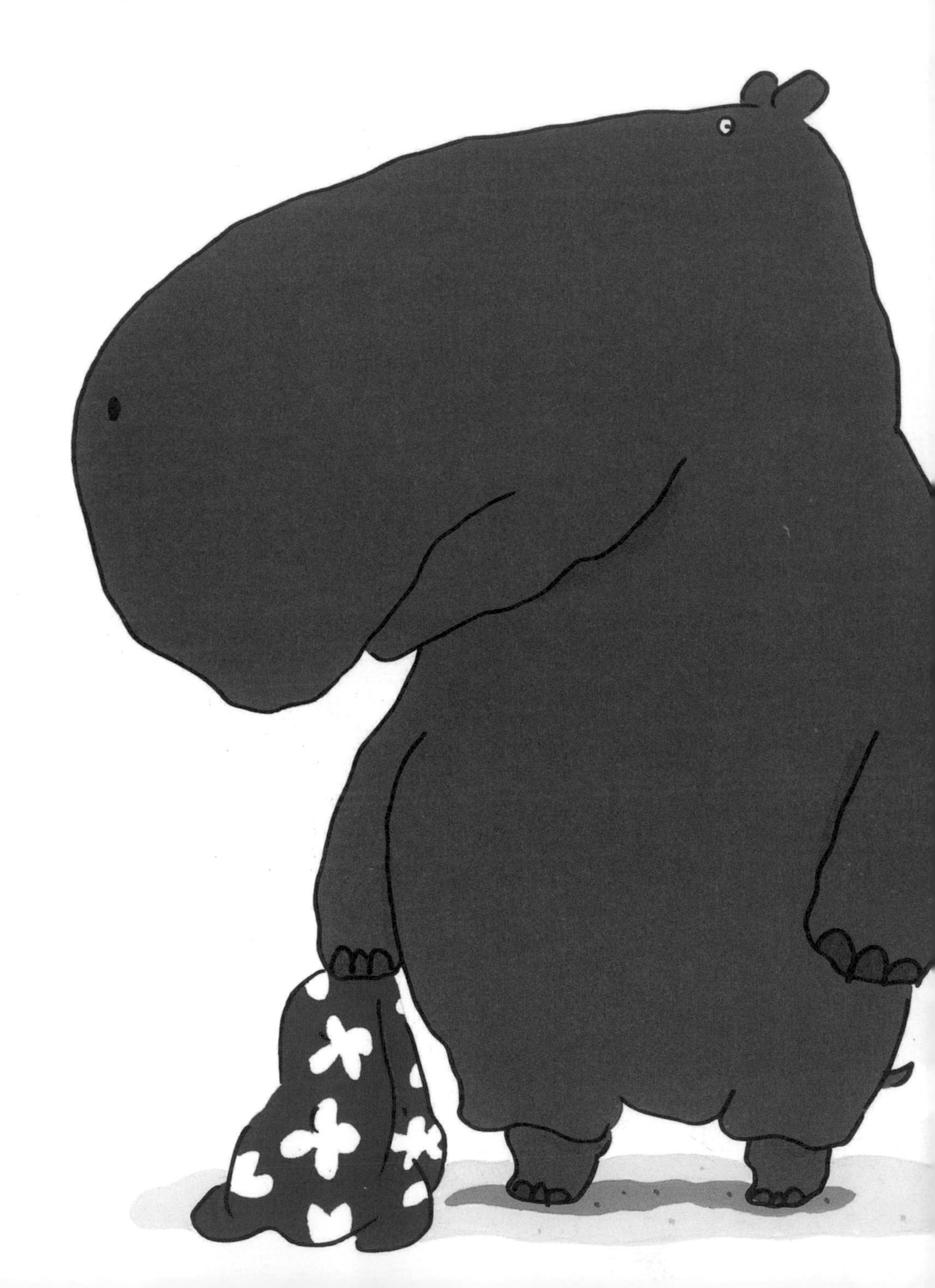

咩嘍咩嘍　呼啦呼啦

咩嘍咩嘍　呼啦呼啦

章魚要跳舞囉

咩ㄇㄧㄝ 嘍˙ㄌㄡ 咩ㄇㄧㄝ 嘍˙ㄌㄡ　　呼ㄏㄨ 啦˙ㄌㄚ 呼ㄏㄨ 啦˙ㄌㄚ

咩ㄇㄧㄝ 嘍˙ㄌㄡ 咩ㄇㄧㄝ 嘍˙ㄌㄡ　　呼ㄏㄨ 啦˙ㄌㄚ 呼ㄏㄨ 啦˙ㄌㄚ

猩猩要跳舞囉

咩嘍咩嘍　呼啦呼啦

咩嘍咩嘍　呼啦呼啦

紅ㄏㄨㄥˊ鶴ㄏㄜˋ要ㄧㄠˋ跳ㄊㄧㄠˋ舞ㄨˇ囉ㄌㄨㄛ˙

咩嘍咩嘍　呼啦呼啦

咩ㄇㄧㄝ 嘍˙ㄌㄡ 咩ㄇㄧㄝ 嘍˙ㄌㄡ　呼ㄏㄨ 啦˙ㄌㄚ 呼ㄏㄨ 啦˙ㄌㄚ

大家要一起跳舞囉

咩嘍咩嘍　呼啦呼啦

咩ㄇㄧㄝ嘍ㄌㄡ咩ㄇㄧㄝ嘍ㄌㄡ　呼ㄏㄨ啦ㄌㄚ呼ㄏㄨ啦ㄌㄚ

咩ㄇㄧㄝ 嘍ㄌㄡ˙ 咩ㄇㄧㄝ 嘍ㄌㄡ˙　　呼ㄏㄨ 啦ㄌㄚ˙ 呼ㄏㄨ 啦ㄌㄚ˙

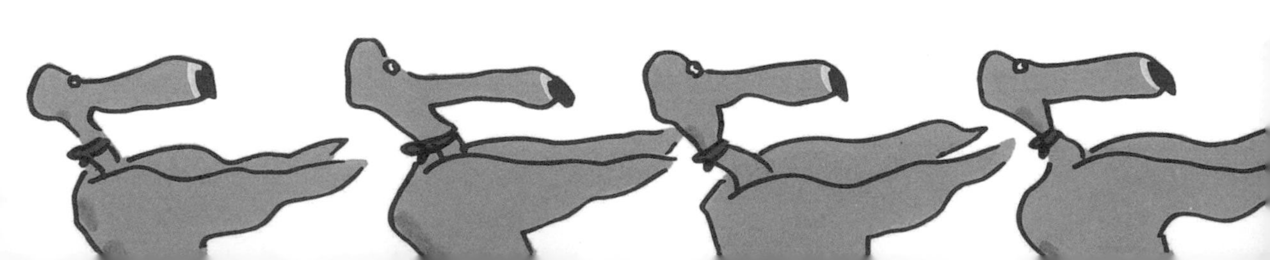

咩ㄇㄧㄝ嘍ㄌㄡ˙咩ㄇㄧㄝ嘍ㄌㄡ˙　呼ㄏㄨ啦ㄌㄚ˙呼ㄏㄨ啦ㄌㄚ˙

該ㄍㄞ 你ㄋㄧˇ 囉ㄌㄨㄛ ！

關於作繪者

高畠純

1948年生於日本名古屋。愛知教育大學美術系畢業，任教於東海女子短期大學。1983年以《這是誰的腳踏車》（青林）獲義大利波隆納國際兒童書展插畫獎。作品曾獲西部美術版畫大賞獎，並參加過紐約藝術EXPO展、C.W.A.J.現代版畫展等展出。2004年獲日本繪本獎一等獎，2011年再獲第42屆講談社出版文化獎繪本獎。作品有《來跳舞吧！》（親子天下）、《好長好長的蛇》（青林）、《爸爸的圖畫書》（道聲）等。

關於譯者

林真美

國立中央大學中文系畢業，日本國立御茶之水女子大學兒童學碩士。
1992年開始在國內推動親子共讀讀書會，1996年策劃、翻譯 【大手牽小手】繪本系列（遠流），2000年與「小大讀書會」成員在台中創設「小大繪本館」。2006年策劃、翻譯【美麗新世界】（親子天下）繪本系列及 【和風繪本系列】（青林國際），譯介英、美、日……繪本逾百。 目前在大學兼課，開設「兒童與兒童文學」、「兒童文化」等課程。除翻譯繪本，亦偶事兒童文學作品、繪本論述、散文、小說之翻譯。如《繪本之眼》（親子天下）、《夏之庭》（星月書房）、《繪本之力》（遠流）、《最早的記憶》（遠流）……等。《在繪本花園裡》（遠流）則為早期與小大成員共著之繪本共讀入門書。